DWYLO AR Y PIANO

DWYLO AR Y PIANO

SŴ GERALLT JONES

y Lolfa

Argraffiad cyntaf: 1986
Ail argraffiad: 1993
Trydydd argraffiad: 2000

Rhif Llyfr Rhyngwladol: 0 86243 124 7

Argraffwyd a chyhoeddwyd yng Nghymru gan
Y Lolfa Cyf., Talybont, Ceredigion SY24 5AP
e-bost ylolfa@ylolfa.com
y we http://www.ylolfa.com
ffôn (01970) 832 304
ffacs 832 782
isdn 832 813

Rhagair

Yn ddelfrydol, fe ddylai pob plentyn gael
ei arweinlyfr personol ei hun wrth fynd
ati i feistroli offeryn cerdd. Felly yn unig
y byddai modd iddo ddatblygu yn ôl ei
allu a'i awydd ei hun. Ambell dro, mae
angen mwy o ymarfer nag a dybir ymlaen
llaw; dro arall, mae gofyn am esbonio
mwy manwl ac o fath gwahanol. Yn y
fath achosion, ni ellir dibynnu ar lyfr,
ond yn hytrach ar grebwyll a synwyr-
usrwydd yr athro neu'r athrawes.

   Cyfaddawd a chanllaw cyffredinol
iawn, felly, yw unrhyw werslyfr o'r math
yma. A derbyn hynny, rwy'n gobeithio y
gall y llyfr hwn fod yn gyfrwng i roi
cychwyn i'r dysgwr ar y broses o ganu'r
piano mewn modd difyr a diddorol.

Sŵ Jones

Hydref 1986

DYMA'R PIANO
DYMA'R HOLL NODAU

Sawl C, heblaw C-canol, sydd ar y piano hwn?
Sawl C, yn cyfri C-canol, sydd ar eich piano
chi?

Fe welwch bod nodau duon a nodau gwynion
i'w cael ar y piano.

C —hwn yw C-canol

Uwchben C-canol, i'r dde ohono, mae 2 nodyn du.

Nid yw sŵn C-canol yn uchel
Nid yw sŵn C-canol yn isel
Mae C-canol yn y canol

CAMAU CYNTAF

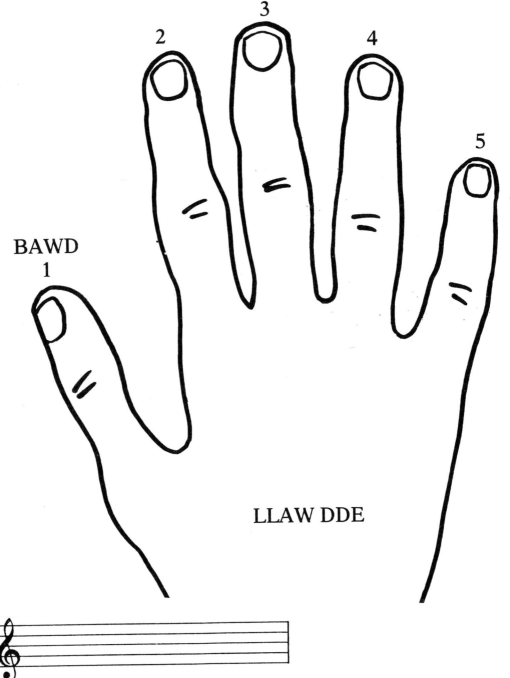

Dyma'r arwydd sy'n dangos mai'r Llaw Dde
sy'n chwarae.

LLAW DDE

Mae pum bys gennych ymhob llaw, felly ceisiwch arfer gyda'r syniad bod gennych 5 offeryn ymhob llaw i daro nodau'r piano.

Fe welwch o'r darlun gyferbyn fod y bawd yn cael ei alw'n fys cyntaf—bys 1.

Ceisiwch daro unrhyw nodyn ar y piano 4 gwaith—gyda bys 1
            gyda bys 2
            gyda bys 3
            gyda bys 4
            gyda bys 5

CAMAU CYNTAF

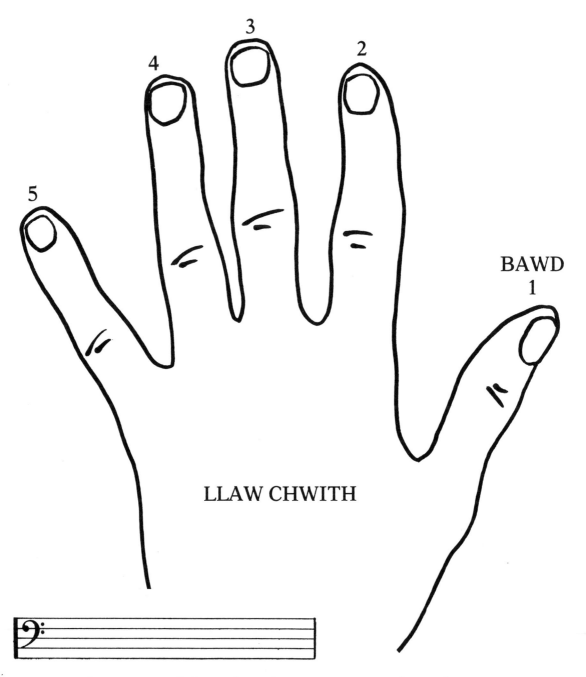

Dyma'r arwydd sy'n dangos mai'r Llaw
Chwith sy'n chwarae.

LLAW CHWITH

Ceisiwch daro unrhyw nodyn gwyn ar y piano 4 gwaith, gan ddefnyddio pob bys yn ei dro.

Beth am fod yn fentrus a tharo nodyn du y tro hwn, gyda bys 2?

Cofiwch mai bys 1 yw'r bawd.

LLAW DDE—eto!

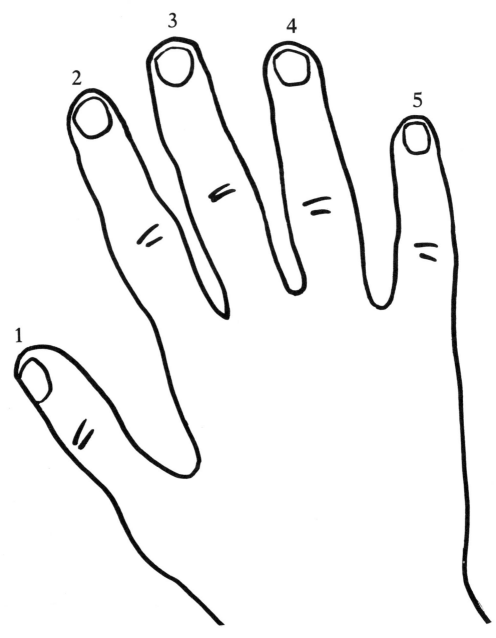

Sylwch ar fys 2.

LLAW DDE—Bys 2

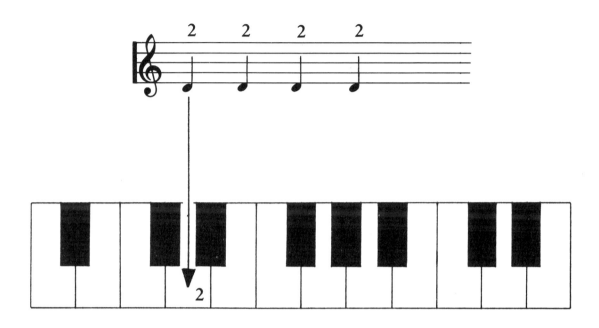

Piano bach ydi hwn.
Mae'n rhan o'r piano mawr.

Mae bys 2 yn chwarae nodyn gwyn rhwng
dau nodyn du.

Ble arall mae yna nodyn gwyn rhwng dau
nodyn du?

LLAW CHWITH

Rhowch eich llaw chwith ar y dudalen a thynnwch linell o'i chwmpas.

Pa fys yw bys 2?

LLAW CHWITH—Bys 2

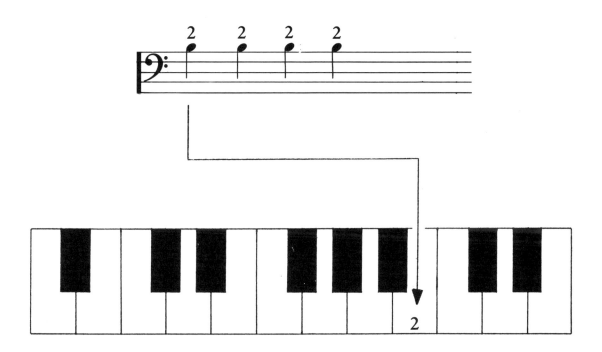

Piano bach ydi hwn.
Mae'n rhan o'r piano mawr.

Mae bys 2 yn chwarae nodyn gwyn i'r dde o'r tri nodyn du.

Ble arall mae yna nodyn gwyn i'r dde o dri nodyn du?

LLAW DDE

Dyma 5 llinell i ddal y nodau:

Yr enw ar y 5 llinell yw ERWYDD.

Dyma'r arwydd i'r Llaw Dde ar yr Erwydd:

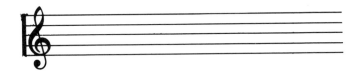

Ei enw yw CLEFF TREBL.

LLAW DDE—Bys 2

(defnyddiwch flaen y bys)

1. taa   taa   taa-aa,   taa   taa   taa-aa

♩ = nodyn byr (taa)
𝅗𝅥 = nodyn hir (taa-aa)

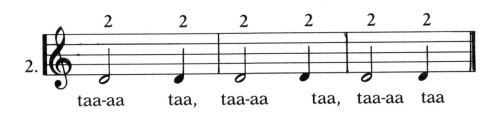

2. taa-aa   taa,   taa-aa   taa,   taa-aa   taa

3. taa   taa,   taa   taa,   taa-aa

LLAW CHWITH

Dyma'r Erwydd eto:

Ceir llinell drwchus ar ddechrau'r gân, a llinell ddwbl ar y diwedd.

Dyma'r arwydd i'r Llaw Chwith ar yr Erwydd:

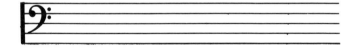

Ei enw yw CLEFF BAS.

LLAW CHWITH—Bys 2

(defnyddiwch flaen y bys)

1.

$\left[\begin{array}{l}\end{array}\right.$ = nodyn byr* (taa)
= nodyn hir° (taa-aa)

2.

3.

*Dyweder y gair "byr" yn fŷr
°Dyweder y gair "hir" yn hir

LLAW DDE

Bys 2 a Bys 1

Bys 2:
Cofiwch blygu bys 2, a tharo'r nodyn gyda blaen y bys.

Bys 1:
Y Bawd. Cofiwch daro'r nodyn gydag ochr bys 1—
oherwydd fod ei siâp yn wahanol i fys 2
oherwydd ei fod yn fyrrach na bys 2.

Yma, mae'r Erwydd wedi ei rannu o'r top i'r gwaelod gan linellau byr.

Eu henwau yw llinellau bar.

LLAW DDE
Nodyn Newydd

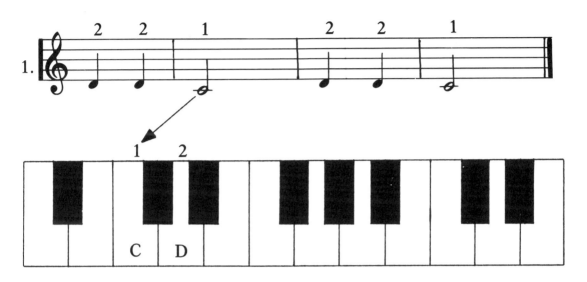

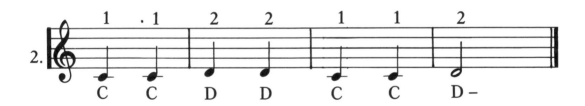

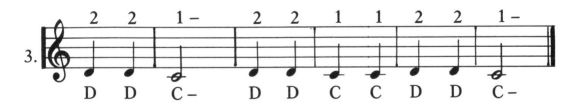

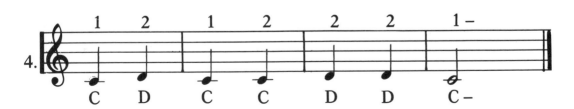

LLAW CHWITH

Yma, mae'r llinellau bar wedi rhannu'r Erwydd yn 5 rhan.

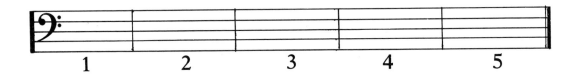

Yr enw ar un o'r rhannau yma yw BAR

LLAW CHWITH
Nodyn Newydd

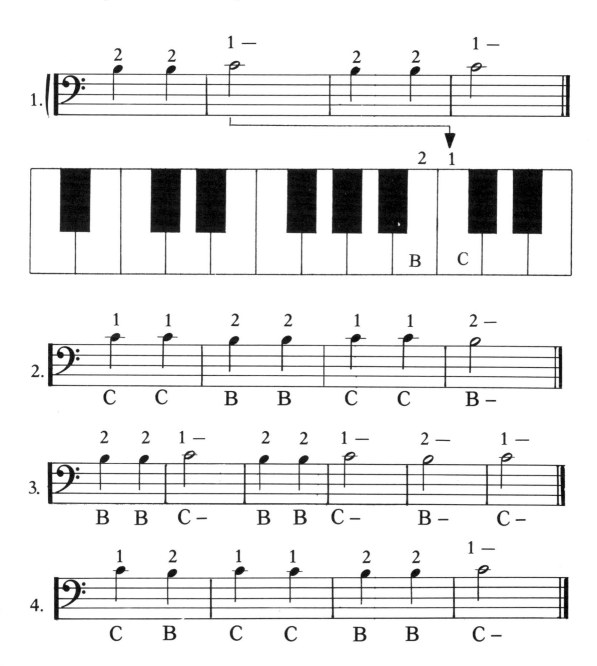

LLAW DDE

Dangoswch: 1. Yr Erwydd
2. Y Cleff Trebl
3. Llinell bar
4. Dau far gwahanol

Mae'r nodyn yma'n para hyd 1 cyfrif, neu
GURIAD.

Mae'r nodyn yma cyn hired â'r gair ''bys''
cyn hired â'r gair ''taa''

Yr enw ar y math yma o nodyn yw
CROSIED.

LLAW DDE
Nodyn Newydd

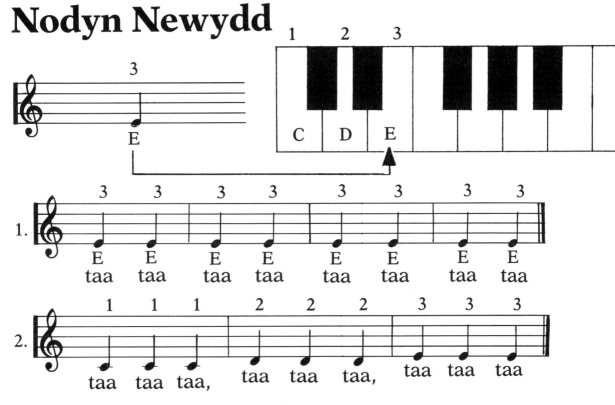

1. E taa E taa E taa E taa E taa E taa E taa E taa

2. taa taa taa, taa taa taa, taa taa taa

Un, dau, tri

3. Un, dau tri, ffwrdd â ni,

Un, dau tri, mâs o'r tŷ,

Un, dau tri, ffwrdd â ni.

LLAW CHWITH

Sawl bar sydd yma?
Sawl crosied sydd ymhob bar?

Mae'r nodyn yma yn para 1-2 guriad.

Mae'r nodyn yma cyn hired â'r gair ''môr''
cyn hired â'r gair ''taa-aa''.

Yr enw ar y math yma o nodyn yw MINIM.

LLAW CHWITH
Nodyn Newydd

3

A

1.

| 3 | 3 | | 3 | 3 | | 3 | 3 | | 3 | 3 |

A A   A A   A A   A A

taa taa,   taa taa,   taa taa,   taa taa.

2.

| 1 | 1 | 1 | 2 | 2 | 2 | 3 | 3 | 3 |

taa taa taa   taa taa taa   taa taa taa

Un, dau, tri

3.

| 1 | 2 | 3 | 1 | 2 | 3 |

Un, dau, tri,   dy — ma   fi,

Un, dau, tri,   Car — lo'r   ci,

Un, dau, tri,   yn   y   tŷ.

LLAW DDE

Dywedwch hyd y nodau yma'n uchel:

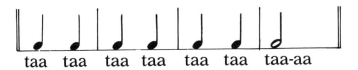

Yn awr, curwch eich dwylo tra'n adrodd yr un peth eto.

Y tro hwn, ceisiwch roi pwyslais neu ACEN (>) ar y nodyn cyntaf yn y bar.

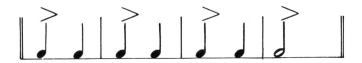

Mae'r crosied cyntaf ymhob bar yn drymach na'r ail grosied:
TRWM   Ysgafn   TRWM   Ysgafn

Fe ddywedwn, felly, fod yna 2 guriad yn y bar.

LLAW DDE

Cân Ifan Jôs

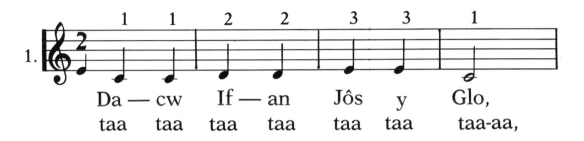

Da — cw   If — an   Jôs   y   Glo,
taa   taa   taa   taa   taa   taa   taa-aa,

We — di   bod   ar   ben   y   to.
taa   taa   taa   taa   taa   taa   taa-aa.

Ymarferiad (3 gwaith)

taa   taa   taa   taa   taa   taa   taa   taa   taa-aa

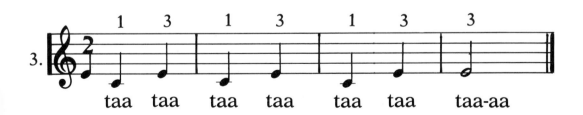

taa   taa   taa   taa   taa   taa   taa-aa

LLAW CHWITH

Sawl CROSIED sydd yna ar dudalen 27?
Sawl MINIM sydd yna ar dudalen 27?
Dangoswch hwy.

Pa mor hir yw'r CROSIED?
Pa mor hir yw'r MINIM?

LLAW CHWITH

Cân Ifan Jôs

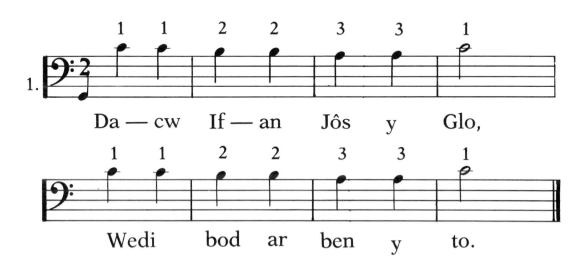

Da — cw If — an Jôs y Glo,

Wedi bod ar ben y to.

Ymarferiad (3 gwaith)

LLAW DDE

Fe welwch ar dudalen 29 fod gair dieithr wedi ymddangos uwchben y Cleff Trebl, sef
MODERATO
Cyfarwyddyd yw hwn i ddweud wrthych pa mor gyflym y dylid chwarae'r darn ''Dau Oen Bach''.

Ei ystyr yw AMSER CYMEDROL.
Nid yn rhy gyflym. Nid yn rhy araf.

Gwyliwch y nodyn olaf ymhob llinell yn ''Dau Oen Bach'':

♩ = taa-aa

Mae'n para am 2 guriad.

Gwyliwch y nodyn olaf yn Ymarferiad 2.

♩. = taa-aa-aa

Mae'n para am 3 churiad.

LLAW DDE

Dau Oen Bach

Moderato

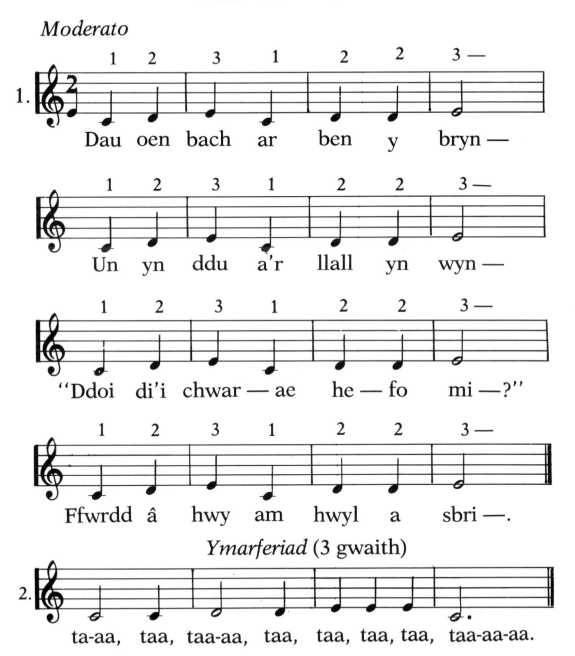

1. Dau oen bach ar ben y bryn —

Un yn ddu a'r llall yn wyn —

"Ddoi di'i chwar — ae he — fo mi —?"

Ffwrdd â hwy am hwyl a sbri —.

Ymarferiad (3 gwaith)

2. ta-aa, taa, taa-aa, taa, taa, taa, taa, taa-aa-aa.

LLAW CHWITH

Y mae cyfarwyddyd gwahanol wedi ymddangos uwchben y Cleff Bas ar dudalen 31, sef

ANDANTE

Ei ystyr yw GWEDDOL ARAF.

Creadur mawr, trwm oedd y Stegasôrws. Ni allai symud yn gyflym iawn, felly cân weddol araf yw hon.

Ceisiwch gadw'r llaw yn gron wrth daro'r nodau ar y piano.

LLAW CHWITH

Stegasôrws

Andante

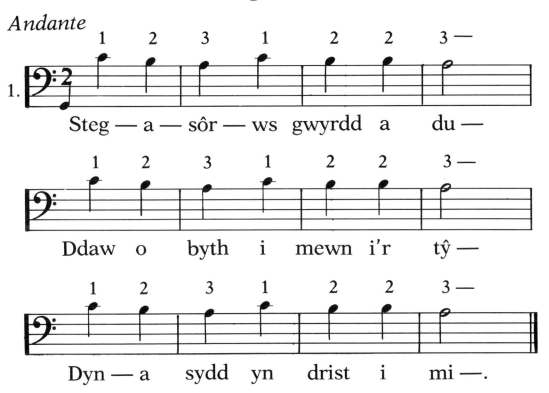

Steg — a — sôr — ws gwyrdd a du —

Ddaw o byth i mewn i'r tŷ —

Dyn — a sydd yn drist i mi —.

Ymarferiad (3 gwaith)

♩ = un curiad, neu taa

♩ = un-dau guriad, neu taa-aa

♩. = un-dau-tri churiad, neu taa-aa-aa

35

LLAW DDE

Ceisiwch ddysgu enwau'r nodau yma'n dda:

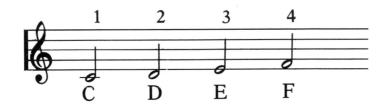

Fe welwch ar dudalen 33 fod 3 crosied yn y bar yn Rhif 1, ac yn y Ddawns.

Un nodyn yn unig sydd yn y bar olaf:

MINIM DOT yw enw hwn, ac mae'n para 3 churiad—taa-aa-aa.

Cofiwch gadw'r llaw yn gron wrth daro'r nodau ar y piano.

LLAW DDE
Nodyn Newydd

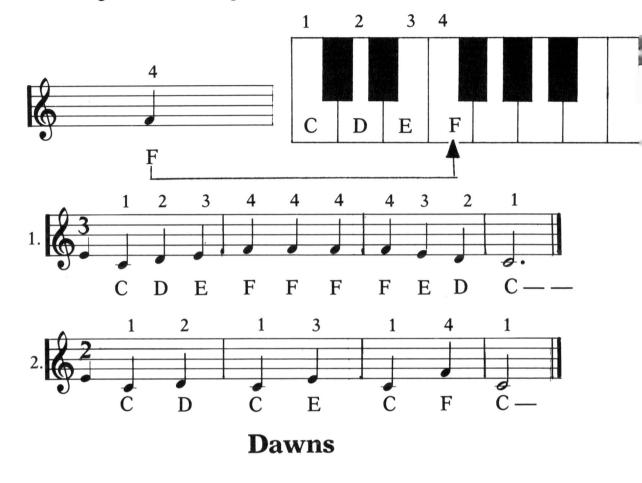

Dawns

LLAW CHWITH

Ceisiwch ddysgu'r nodau yma'n dda:

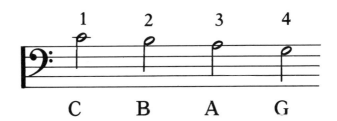

Cofiwch bwysleisio'r curiad cyntaf yn y bar.

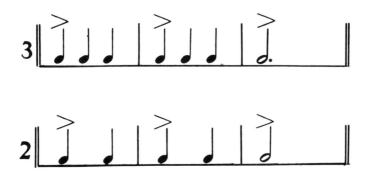

Rhowch enwau'r nodau mewn pensil yn y darn "Dawns" ar y dudalen nesaf.

LLAW CHWITH
Nodyn Newydd

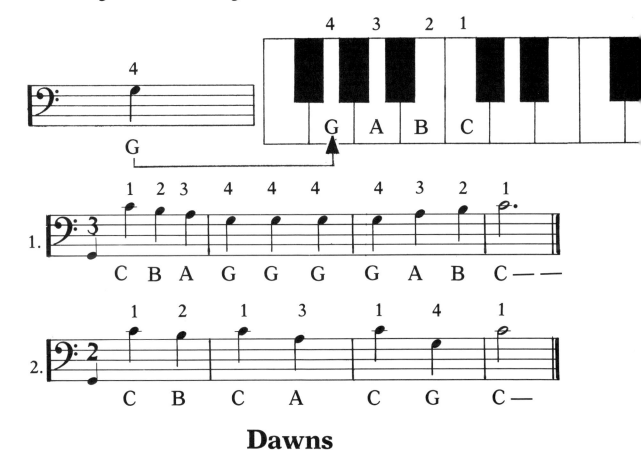

Dawns

LLAW DDE

♩ = taa — crosied

Gellir chwarae 2 nodyn o fewn 1 crosied

♫ = ta-te — 2 gwafer

Ceisiwch glapio'r rhythm yma:

taa ta-te taa ta-te taa taa ta-te taa.

Mae ta-te (♫) yr un rhythm â: Sioned
Harri
Bethan
Rhodri

LLAW DDE

Hen geiliog dandi do

1. Hen geil — iog dan — di do — — A

red — odd i'r cwt glo — —. Fe

welodd gi mawr a gwaeddodd fel cawr, go

go, go go, go go — —.

Ymarferiad

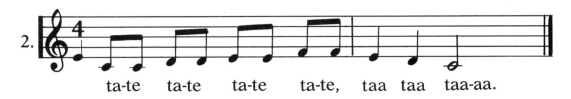

2. ta-te ta-te ta-te ta-te, taa taa taa-aa.

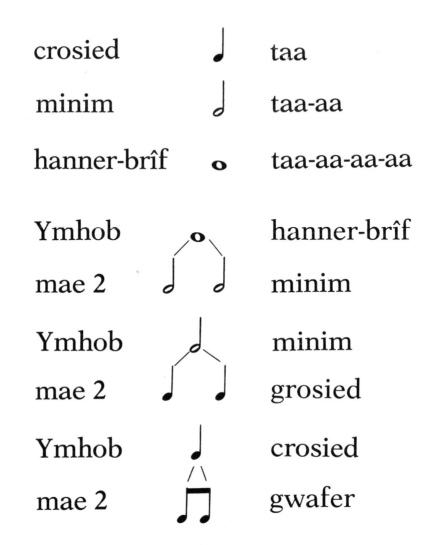

crosied	♩	taa
minim		taa-aa
hanner-brîf		taa-aa-aa-aa
Ymhob mae 2		hanner-brîf minim
Ymhob mae 2		minim grosied
Ymhob mae 2		crosied gwafer

Y Teulu

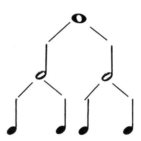

Mae 4 crosied mewn 1 hanner-brîf.

LLAW CHWITH

Mi welais Jac y Do

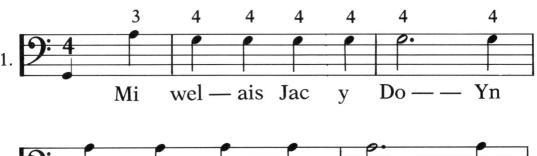

Mi wel — ais Jac y Do — — Yn

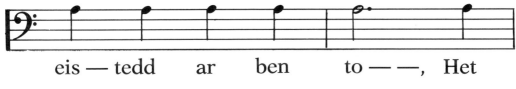

eis — tedd ar ben to — —, Het

wen ar ei ben a dwy goes bren, Ho

ho, — ho — ho, — ho — ho — —.

Ymarferiad

C B A G
do ti la so, do ti la so do — — —.

Mae'r nodyn yma —o— yn para 1-2-3-4 neu taa-aa-aa-aa

LLAW CHWITH

Gee, ceffyl bach

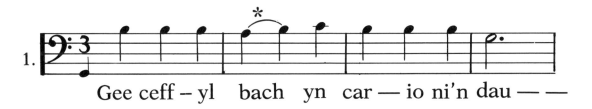

Gee ceff – yl bach yn car — io ni'n dau — —

Dros y mynydd i he — la cnau — —.

Dŵr yn yr af — on, a'r cer — rig yn slic — —,

Cwym – po ni'n dau, wel dyn–a i chi dric!

Ymarferiad

taa taa taa ta-te ta-te ta-te taa-aa-aa.

* *Cenir y gair "bach" ar ddau nodyn. LLITHREN yw'r arwydd yma* ⌒

44

LLAW DDE

Cwyd, Robin bach

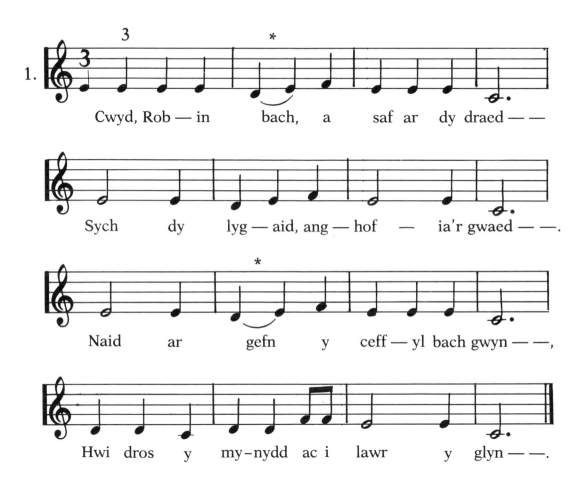

1. Cwyd, Rob — in bach, a saf ar dy draed — —

Sych dy lyg — aid, ang — hof — ia'r gwaed — —.

Naid ar gefn y ceff — yl bach gwyn — —,

Hwi dros y my-nydd ac i lawr y glyn — —.

Ymarferiad

do re mi ffa mi re do —.

* *Llithren—rhaid chwarae'r nodau yn llyfn.*

LLAW CHWITH
Nodyn Newydd

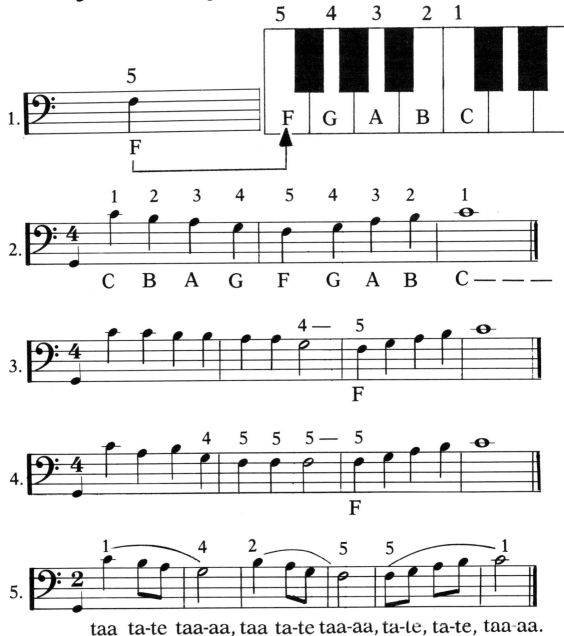

taa ta-te taa-aa, taa ta-te taa-aa, ta-te, ta-te, taa-aa.

LLAW DDE
Nodyn Newydd

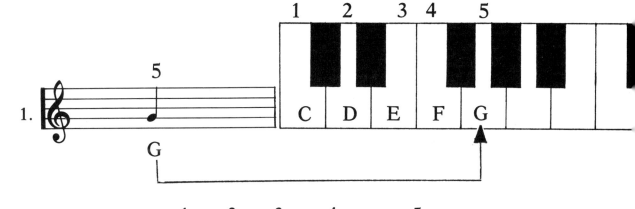

1.

2. C D E F G — — —   *3 gwaith*

♩ — un curiad, neu taa

♩ — dau guriad, neu taa-aa

𝅝 — pedwar curiad, neu taa-aa-aa-aa

3.

LLAW CHWITH

Gorymdaith o A

1.

Ymarferiad

2.

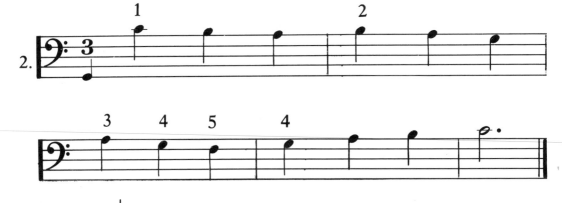

♩. — 3 churiad, neu taa-aa-aa

LLAW DDE

Si hei lwli

Si hei lw — li, 'ma — bi, mae'r llong yn mynd i ffwrdd.

Si hei lw — li, 'ma — bi, mae'r cap ten ar y bwrdd.

Si hei lw — li lw — li lws, cys ga, cys — ga'mabi tlws.

Si hei lw — li, 'ma — bi, mae'r llong yn mynd i ffwrdd.

Ymarferiad

— tri churiad, neu taa-aa-aa

LLAW CHWITH

Cân Hapus

1.

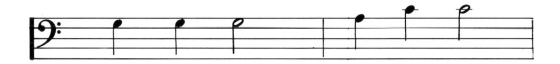

1. Ceisiwch gadw'r llaw yn gron.
2. Ceisiwch daro'r nodyn gyda blaen eich bys.

Ymarferiad

2.

LLAW DDE

Heno, heno

He — no, he — no, hen blant bach,

He — no, he — no, hen blant bach.

Di — me, di — me, di — me, hen blant bach,

Di — me, di — me, di — me, hen blant bach.

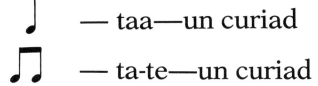

— taa—un curiad

— ta-te—un curiad

Ymarferiad

ta-te taa, ta-te taa, ta-te taa, ta-te taa, ta-te taa, taa-aa

LLAW CHWITH

Pwsi bach

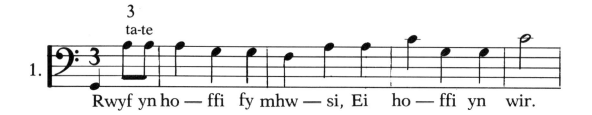

ta-te

Rwyf yn ho — ffi fy mhw — si, Ei ho — ffi yn wir.

ta-te   ta-te

Mae ei chlus — tiau mor fy — chan, A'i chyn ffon mor hir.

Ymarferiad

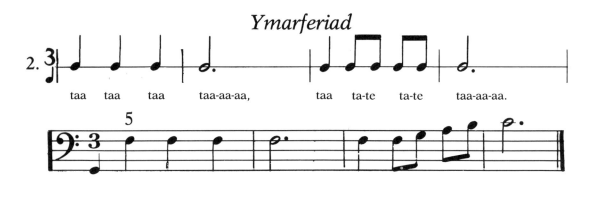

taa   taa   taa   taa-aa-aa,   taa   ta-te   ta-te   taa-aa-aa.

taa ta-te taa ta-te taa taa taa-aa,   ta-te ta-te taa taa taa-aa-aa-aa.

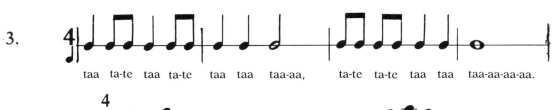

LLAW DDE

Clychau'r Nadolig

Fuoch chi 'rioed yn Morio?

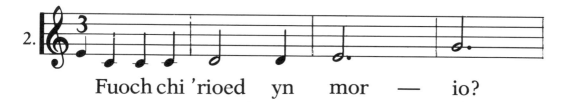

Fuoch chi 'rioed   yn   mor — io?

Do,   mewn pad — ell   ffri — o.

Chwyth — odd y gwynt ni i'r Eil   o   Man,   a

dyn — a lle bu — om ni'n cri — o.

LLAW DDE

Beth yw'r enw ar yr arwydd yma?

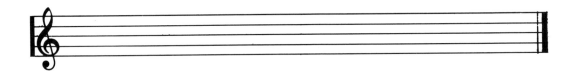

Dyma'r gair CEG wedi'i sgrifennu mewn nodau ar yr Erwydd:

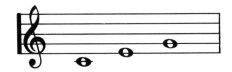

Beth yw'r geiriau hyn?

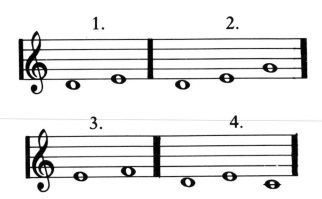

LLAW DDE

Dawns y Morwr

Ymarferiad

LLAW CHWITH

Edrychwch ar y piano.

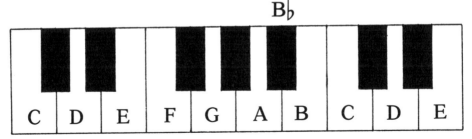

Gelwir y cam rhwng un nodyn ar y piano a'r nodyn drws nesaf iddo—du neu wyn—yn **HANNER TÔN**.

Mae E i F yn hanner-tôn
Mae B i C yn hanner-tôn
Mae B i B♭ yn hanner-tôn

♭ = MEDDALNOD *(FFLAT)*

Mae'r arwydd yma'n dweud wrthych am chwarae nodyn un hanner-tôn i'r chwith. Un arwydd sydd ei angen i wneud pob B yn y bar yn fflat.

LLAW CHWITH
Nodyn Newydd

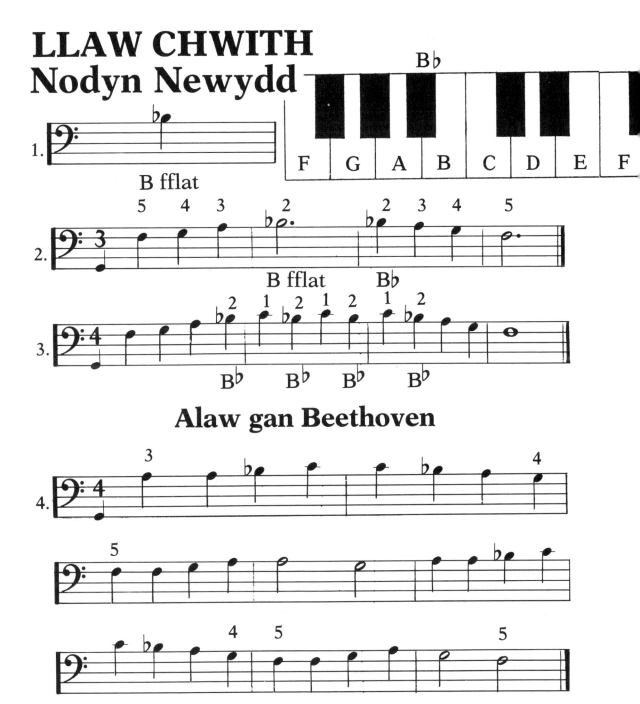

B fflat

Alaw gan Beethoven

Enw'r gŵr a sgrifennodd, neu a *gyfansodd-odd*, yr alaw yma yw Beethoven. Roedd y *cyfansoddwr* enwog hwn yn byw yn yr Almaen, 200 mlynedd yn ôl.

LLAW CHWITH

Gwen a Mair ac Elin

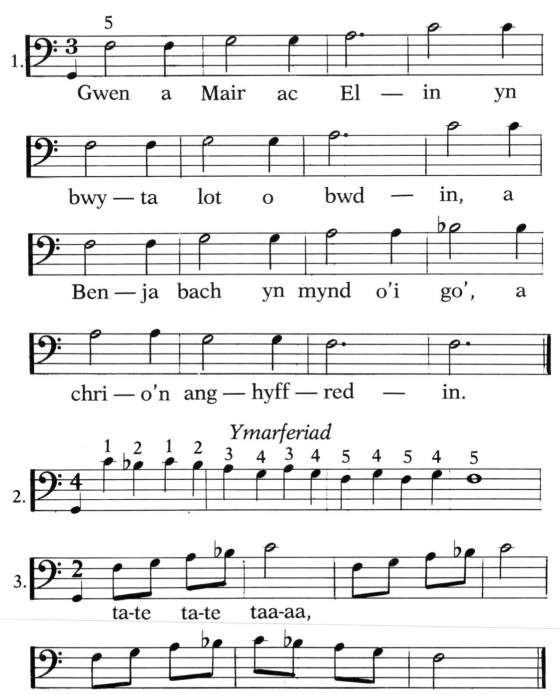

1. Gwen a Mair ac El — in yn
bwy — ta lot o bwd — in, a
Ben — ja bach yn mynd o'i go', a
chri — o'n ang — hyff — red — in.

Ymarferiad

2.

3. ta-te ta-te taa-aa,

58

LLAW DDE

Croen y Ddafad Felan

ta-te ta-te taa taa

Yr Asyn a Fu Farw

Yr as — yn a fu fa — rw wrth

gar — io glo i Fflint. En — ill–odd mewn saith

mly — nedd dros bed — war ug — ain punt.

LLAW DDE

Edrychwch ar y piano.

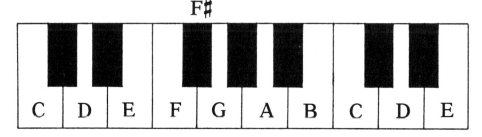

Mae E i F yn hanner-tôn
Mae C i B yn hanner-tôn
Mae F i F♯ yn hanner-tôn
Mae F♯ i G yn hanner-tôn

♯ = LLONNOD *(SHARP)*

Mae'r arwydd yma'n dweud wrthych am chwarae nodyn un hanner-tôn i'r dde. Un arwydd ♯ sydd ei angen i wneud pob F yn y bar yn sharp.

LLAW DDE

Nodyn Newydd

F#

Ceisiwch chwarae'r nodau o fewn yr arwydd ⌒ yn llyfn.

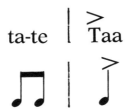

ta-te | Taa

Curwch eich dwylo i'r rhythm yma a dywedwch y seiniau (taa, ta-te) yn uchel:

Taa   ta-te   Taa   ta-te   Taa taa   Taa-aa

SAIB

Mae'n bwysig iawn cael seibiau mewn cerddoriaeth; maent yn ychwanegu ysgafnder ac amrywiaeth.

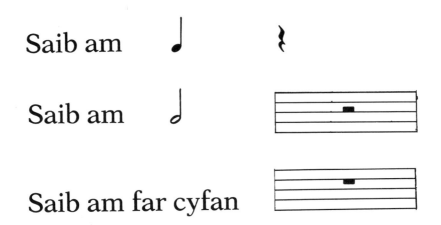

Saib am

Saib am

Saib am far cyfan

Ar dudalen 59, byddwn yn defnyddio'r Cleff Trebl a'r Cleff Bas yn y ddwy gân. Byddwch yn barod i newid o un llaw i'r llall!

LLAW DDE a'r LLAW CHWITH
Iesu Tirion

Ie — su tir — ion, gwêl yn awr Blen — tyn
bach yn ply — gu lawr. Wrth fy ngwen did tru-gar
-ha, Paid â'm gwr — thod, Ie — su da.

Ymarferiad

Bonheddwr Mawr o'r Bala

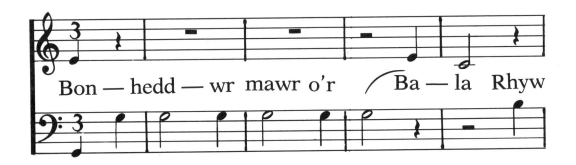

Bon — hedd — wr mawr o'r   Ba — la   Rhyw

ddiwr — nod aeth   i   he — la   Ar gas — eg

den — au ddu —,   Ar gas — eg den — au ddu.

⌢ = LLITHREN

Mae'r arwydd yma rhwng dau nodyn yn golygu bod y sill yn para am hyd y ddau nodyn, nid un nodyn.

Sawl curiad sydd yn y bar?

Dangoswch saib am

Dangoswch saib am

Dangoswch saib am far cyfan.

64

Ymarferiad

Dadl rhwng y ddwy law sydd yma. Ceisiwch gadw'r ddadl yn un fywiog.

Fe welwch fod y ddwy law'n cytuno erbyn y diwedd!

Ding! Dong!

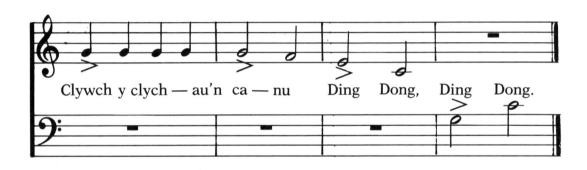

Mae'r arwydd > , sef ACEN, yn dangos fod angen pwyslais ar y nodyn yma. Fan hyn, mae'r acen yn dod ar y curiad cyntaf yn y bar.
Sawl curiad sydd yn y bar?
Sawl bar gwag sydd i'w gael?

Emyn

Pan fydd y ddwy law'n chwarae gyda'i gilydd, cofiwch baratoi'r ddwy law a chofiwch roi'r bysedd cywir yn barod uwchben y nodau cyntaf cyn cychwyn.

I'ch atgoffa:

saib am ♩ = 𝄽

saib am far cyfan = ▬

Dwy law gyda'i gilydd

Ymarferion

Cân werin o'r Unol Daleithiau yw hon, yn sôn am farwolaeth yr hen ŵydd fawr lwyd, a oedd yn ffefryn i Modryb.

Ar ddechrau'r darn, mae cyfarwyddiadau i ddweud wrthych sut i'w chwarae:

Andante = gweddol araf

piano = tawel

p yn fyr

Dwêd wrth dy Fodryb

Andante

piano Dwêd wrth dy fod — ryb, Dwêd wrth dy
fod — ryb, Dwêd wrth dy
fod — ryb am fa — rw yr hen wŷdd.

Nodau Newydd

A   B   C

Dyma'r ysgol sy'n dechrau ar C:

1   2   3   1   2   3   4   5

Mae'n rhaid gwthio'r bawd yn daclus o dan bont y llaw er mwyn cyrraedd F yn ddiogel.

Beth yw'r geiriau sydd wedi eu cuddio yn y nodau yma?

Mynd am dro hir

Dechreuwch fel hyn:

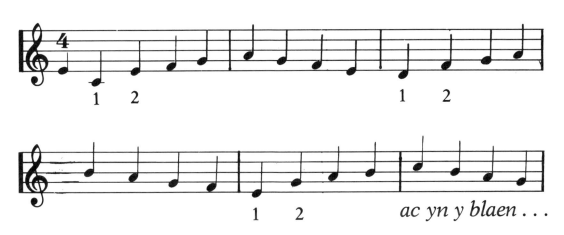

ac yn y blaen, nes cyrraedd y nodau uchaf, meinaf eu sain, ar y piano.

Yr enw llawn ar y piano yw *pianoforte*. Ystyr *piano-forte* yw *tawel-cryf*.

Ceisiwch chwarae'r ymarferiad yn dawel (*piano*) i ddechrau ac yna'n gryf (*forte*).

Nodau Newydd

E   D   C

Dyma'r ysgol sy'n dechrau ar C:

C   A   C

5   4   3   2   1   3   2   1

Mae'n rhaid pontio'r llaw yn daclus dros y bawd er mwyn i fys 3 gyrraedd A yn ddiogel.

Beth yw'r geiriau sydd wedi eu cuddio yn y nodau yma?

1.   2.   3.

Mynd am dro hir (eto!):

Dechreuwch fel hyn:

ac yn y blaen . . .

ac yn y blaen, nes cyrraedd y nodau dyfnaf, trymaf eu sain, ar y piano.

Ceisiwch gamu'n ofalus o nodyn i nodyn, gan adael i'r sain lenwi'r bylchau. Wrth wneud hyn, byddwch yn chwarae'n llyfn iawn, yn *legato*.

AMSERNOD—sawl curiad sydd yn y bar?

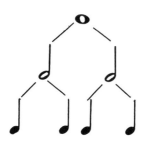

= 1 nodyn hir.

= Dau ½ nodyn hir.

= Pedwar ¼ nodyn hir.

Mae'r crosied (♩) yn cael ei alw'n nodyn chwarter (¼).

Mae'r amsernod $\frac{3}{4}$ yn golygu bod 3 crosied yn y bar.

Beth yw ystyr y ddau amsernod yma?

$$\frac{2}{4} \quad a \quad \frac{4}{4} \quad ?$$

Mae'r amsernod yn cael ei osod ar ddechrau'r alaw, yn syth ar ôl arwyddion y Cleff Trebl a'r Cleff Bas.

Alaw o'r Alban

Andante

Sylwch mai unwaith yn unig y gwelir yr amsernod $\frac{3}{4}$ —a hynny ar ddechrau'r darn.

Dwy law oddi wrth ei gilydd

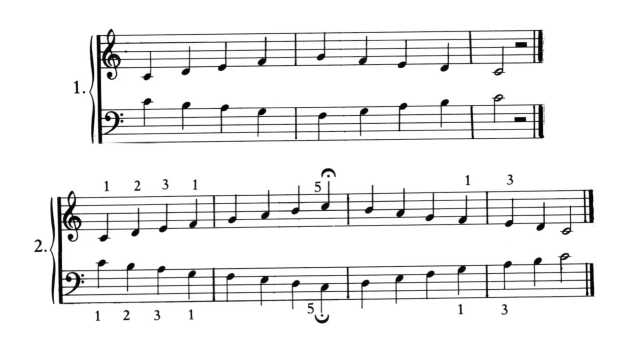

Tair C

All eich llaw dde chi ymestyn o un C i'r C
nesaf ar y piano?
All eich llaw chwith chi ymestyn o un C i'r C
nesaf ar y piano?
Sawl C sydd ar eich piano chi?

Gorymdaith

Moderato

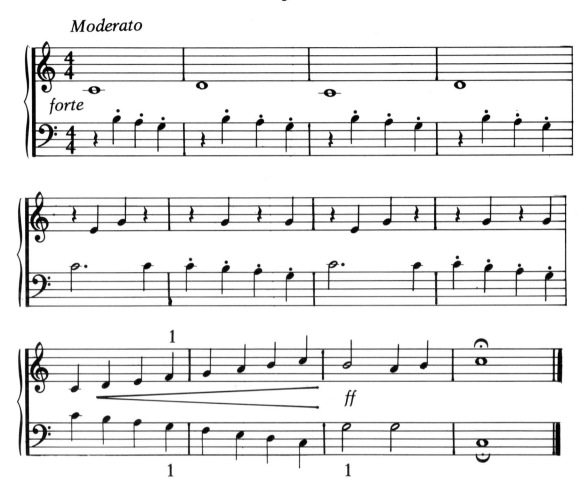

Fe welwch ddotiau bach uwchben rhai o'r nodau yn y Cleff Bas, fel hyn:

♪ ♪ ♪ Chwaraeir y rhain yn fyr a sionc.

Staccato yw'r gair i'w ddefnyddio ar gyfer chwarae'n fyr a sionc.

⌢ —rhaid dal y nodyn ychydig yn hwy nag arfer.

forte—chwarae'n gryf. Nid yw'r gair cyfan yn ymddangos fel arfer, dim ond y llythyren gyntaf, sef *f*.

fortissimo—chwarae'n gryf iawn. Talfyriad o'r gair yma yw *ff*.

◁—cryfhau'r sain.

Mae yna ddau farc tebyg iawn i'w gilydd yn "Ffarwel i Blwy Llangywer", ond mae'r ddau'n gwneud gwaith gwahanol.

1. MARC CYLYMU yw hwn. Mae e'n clymu dau nodyn gyda'i gilydd, felly mae'r nodyn G yn para am 4 curiad.

2. LLITHREN yw hon. Dylid chwarae'r nodau oddi tani yn *legato*.

3. Yn bar 8, fe welwch ddau ddot fel hyn:

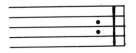

Arwydd yw hwn i ddweud wrthych am fynd yn ôl i'r dechrau a chwarae'r rhan yma o'r alaw eto.

Mae *Allegretto* yn golygu y dylid chwarae'r darn yn weddol gyflym.

Ffarwel i Blwy Llangywer

Rhagor o nodau yn y Cleff Trebl

Cymharwch y nodau newydd â:

ac hefyd â:

Fe welwch fod rhai nodau â'u coesau'n pwyntio at i fyny, ac eraill yn pwyntio at i lawr.

Mae'r goes at i fyny os yw'r nodyn yn is na'r llinell ganol.

Mae'r goes at i lawr os yw'r nodyn yn uwch na'r llinell ganol.

Os yw'r nodyn *ar* y llinell ganol, gall y goes fod at i fyny neu at i lawr.

Pell oddi wrth ei gilydd

Ystyr *allegro* yw cyflym. Ceisiwch daro'r
nodau *staccato* yn fyr a sionc.

Rhagor o nodau yn y Cleff Bas

Cymharwch y nodau newydd â:

ac hefyd â:

Ymarferiad i'r Llaw Dde

Rhaid taro'r nodau yma ar yr un pryd.
Gwrandewch ar y sain hyfryd sy'n cael ei
chreu pan fo'r ddau nodyn gyda'i gilydd.

Dawns y Corrach

mf —mezzo-forte —gweddol gryf
mp —mezzo-piano —gweddol dawel

     cryfhau

     tawelu

Sawl curiad yn y bar sydd yn y darn yma?
Beth yw ystyr *moderato?*

Nodyn Newydd i'r Cleff Trebl

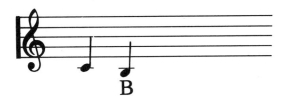

Yr enw ar y silff fechan sy'n rhedeg drwy C-canol, ac uwchben y B newydd, yw GORLINELL.

Rhythm newydd:

Mae dot ar ôl nodyn yn ychwanegu at ei werth. Mae'n ychwanegu gwerth ½ y nodyn.

Felly, mae ♩. yn 1½ crosied.
Gellir cyfri drwy'r rhythm fel hyn:

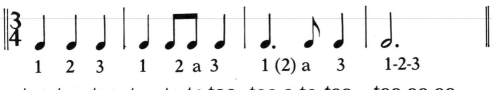

Ar hyd y nos

D.C. al Fine

D.C. al Fine —mynd yn ôl i'r dechrau eto a
chwarae'r darn hyd at y gair
FINE (diwedd)

Mae'n bwysig iawn eich bod:
1. yn gosod y ddwy law yn barod cyn
cychwyn.
2. yn gosod y bysedd cywir yn eu lle yn barod.
3. yn cadw at y bysedd cywir drwy'r darn.

CORD yw dau nodyn, neu ragor, sy'n cael eu taro gyda'i gilydd.

Mae cord yn ychwanegu at gyfoeth a sain y gerddoriaeth.

Gellir cael sain hapus a sain drist mewn cord.

Gwrandewch yn ofalus:

hapus————————, trist————————.

Edrychwch ar eich llaw wrth iddi chwarae'r cordiau syml yma. Mae'r nodau sydd rhwng nodau'r cord yn dawel, ac yn sefyll i fyny o boptu'r nodyn canol yn y cord.

Ceisiwch ffurfio cord ar bob nodyn gwyn, yn y llaw dde a'r llaw chwith.

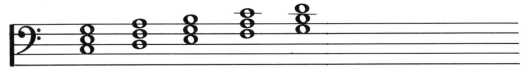

ac yn y blaen . . .

Cân yr Ehedydd

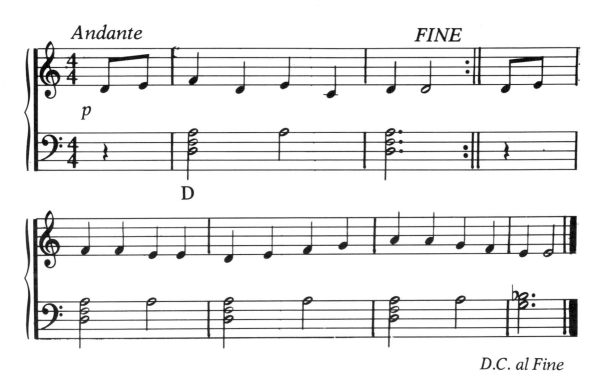

Cân drist yw hon.
Mae hi'n troi o gwmpas y nodyn D
 —yn dechrau arno
 —yn diweddu arno
 —a chord ar D sydd fwyaf amlwg yn y llaw
  chwith.

Mae naws hen yn perthyn i'r alaw werin yma.

CORDIAU TOREDIG

Wrth chwarae'r rhain, mae'n rhaid ymarfer neidio'n heini dros y nodau.

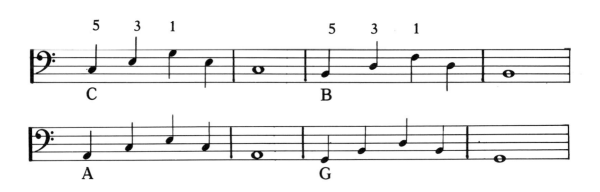

. . . ac yn y blaen, i lawr at y nodau dwfn, tywyll yng ngwaelod y piano.

Nid yw pob alaw'n dechrau ar y curiad cyntaf yn y bar. Fe welwch fod "Llwyn Onn" yn dechrau ar y 3ydd crosied yn y bar. Gelwir y math yma o alaw yn ANACRWSIG.
Mae hanner cyntaf yr alaw yn y llaw chwith. Ceisiwch wneud iddi seinio'n glir.

Llwyn Onn

Nodyn Newydd

Daw hyfryd fis Mehefin . . .

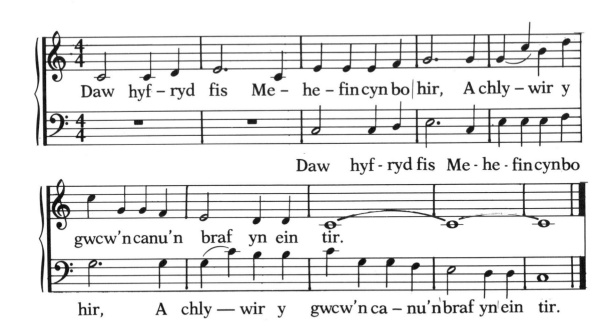

Tôn gron yw hon.

Mae'r llaw dde'n canu gyntaf, yna ym mar 3 fe ddaw'r llaw chwith i ganu'r un gân ar draws y llaw dde.

Dylai'r ddwy law fod mor glir â'i gilydd.

Dawns Werin

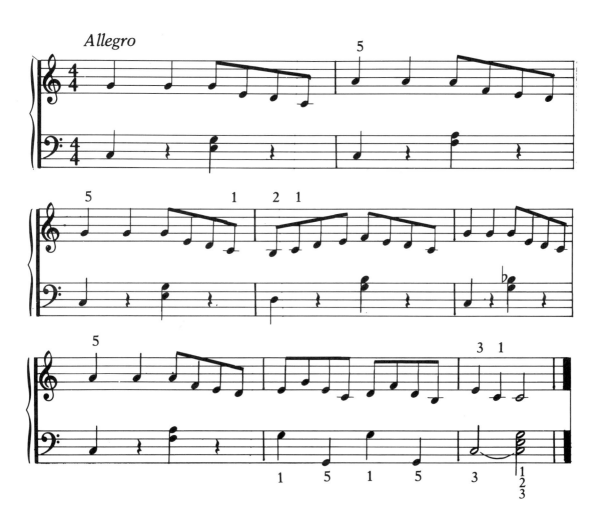

Ystyr *Allegro* yw cyflym a bywiog.

TAIR YSGOL

Ysgol C

Ysgol G

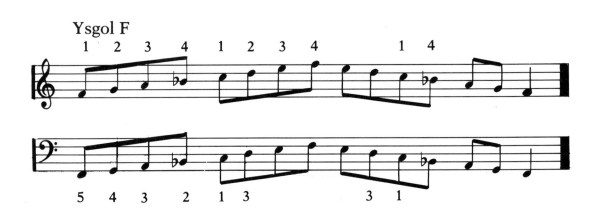

Ysgol F

CYWAIR A CHYWEIRNOD

Mae pob alaw yn wahanol i'w gilydd, ond
mae rhai pethau'n gyffredin iddynt:
—maent yn cychwyn ar daith
—mae'r daith yn ddiddorol
—ond mae pob alaw'n awyddus i gyrraedd
    ADREF.
Y nodyn ''cartref'' sy'n rhoi CYWAIR yr alaw
i chi.
Fel cliw ychwanegol, mae'r CYWEIRNOD
i'w weld ar ddechrau'r alaw.

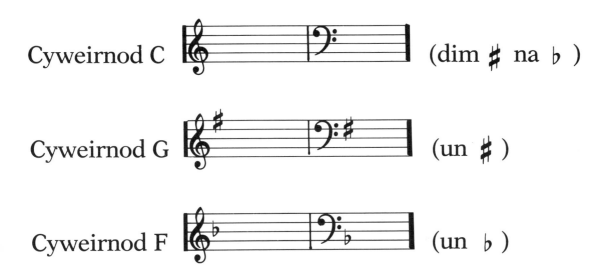

Cyweirnod C (dim ♯ na ♭)

Cyweirnod G (un ♯)

Cyweirnod F (un ♭)

Pwt ar y Bys

Yr amsernod yw $\frac{4}{4}$, sef 4 crosied yn y bar.

Ceisiwch roi ychydig o bwyslais ar y crosied cyntaf ymhob bar—fe fydd o gymorth i'r dawnswyr!

Alaw o'r Alban

Un ♭ yw'r cyweirnod, felly F fwyaf yw'r cywair.

Ym mar 8 fe welwch arwydd fel hyn ♮ .
Mae'r arwydd yma'n gwneud i ffwrdd â'r ♭ am y tro.

Heblaw am y nodyn yma ym mar 8, mae pob B arall yn ♭ , yn nodyn du ar y piano.

Nodyn Newydd

C   B

I ddileu'r ♭ o flaen nodyn, fe ddefnyddir yr arwydd ♮ = naturiol.

Alaw o'r Unol Daleithiau

Un ♯ yw'r cyweirnod, felly G fwyaf yw'r cywair.

Mae pob F yn y darn yn ♯, yn nodyn du ar y piano.

Mae'r Nos yn Ddu

Andante

Alaw o Awstria

arafu a thawelu

Carol ar ffurf hwiangerdd yw hon, felly dylid
ei chwarae'n dawel a llyfn. Ceisiwch roi
ychydig o bwyslais ar y nodyn cyntaf ymhob
bar: TRWM   ysgafn   ysgafn

Cainc y Delyn

Nodyn Newydd

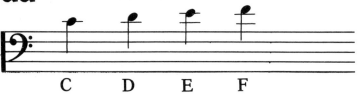

C D E F

Nos Calan

Moderato

Sylwch:
—fod yr alaw yma yn y cywair F fwyaf, a bod
   pob B yn fflat.
—ar drefn yr arwyddion ar ddechrau'r alaw.
   y cleff i ddechrau
   yna'r ♭ , sef cyweirnod F fwyaf,
   yna **4/4**, yr amsernod.

Sylwch hefyd mai unwaith yn unig y gwelir
yr amsernod.

CORDIAU

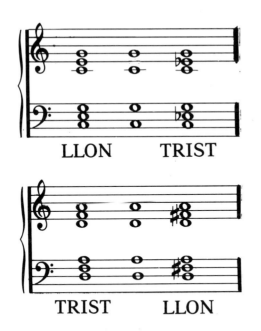

LLON   TRIST

TRIST   LLON

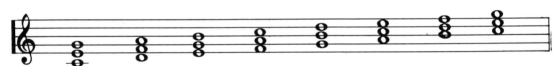

LLON TRIST TRIST LLON LLON TRIST TRIST LLON

LLON NEU DRIST?

Mae gen i dip — yn o dŷ bach twt . . .

LLON NEU DRIST?

Mae hen Wlad fy Nhad — au yn ann — wyl i mi . . .

Sŵn y Gwynt

Mae ''difyrrwch'' yn air da i ddisgrifio alaw ar gyfer dawns werin.

Sawl curiad sydd yn y bar yma?

Ceisiwch roi acen ar y curiad cyntaf ymhob bar fel bod y dawnswyr yn gallu cydsymud yn rhwydd i'r Difyrrwch arbennig yma.

Difyrrwch Gwŷr Llangallo

Dyma alaw dawns werin eto. Mae hi'n wahanol iawn i'r Difyrrwch ar dudalen 102.

Sawl curiad sydd yn y bar?
Beth yw'r cywair?

Sylwch fod y CYWEIRNOD yn ymddangos ar ddechrau *pob* llinell, ond dim ond ar *ddechrau'r* alaw mae'r AMSERNOD yn ymddangos.

Beth fedrwch chi ei ddweud am naws y ddwy alaw?

Hyd y Frwynen

Dyma ymarferiad rhagorol i gadw'r dwylo'n ystwyth.
Cofiwch ymarfer y ddwy law ar wahân i ddechrau
—er mwyn sicrhau fod y bysedd cywir ar y nodau cywir.
—er mwyn sicrhau fod yr amseriad yn gyson â dau guriad yn y bar.

Fe welwch sawl grŵp o nodau tebyg i hyn

Yn y trydydd bar, mae 2 grŵp ohonynt, 1 grŵp i bob curiad yn y bar.

Mae 2 ♩ grosied yn y bar.
Gellid taro 4 ♪ cwafer yn y bar.
Gellid taro 8 ♬ hanner-cwafer yn y bar.

2 grosied	taa : taa	
4 cwafer	ta-te : ta-te	
8 hanner-cwafer	ta-fa te-fe : ta-fa te-fe	

Dawns y Gwningen Gymreig

Cân Doli

⌒ marc cylymu. Rhaid dal y nodyn am hyd y *ddau* nodyn sydd wedi eu clymu, sef 4 curiad yn yr achos yma.

⌒ arwydd i ddangos bod yn rhaid dal yn hwy ar y nodyn.

GEIRFA AC ARWYDDION

Andante	gweddol araf
Moderato	amseriad cymedrol
Allegretto	gweddol gyflym
Allegro	cyflym a bywiog
piano (*p*)	tawel
forte (*f*)	cryf
mezzo-piano (*mp*)	gweddol dawel
mezzo-forte (*mf*)	gweddol gryf
legato	chwarae'n llyfn
staccato	chwarae'n fyr ac ysgafn
⌢	dal ar y nodyn a'i wneud yn hwy
:‖	ailchwarae
D.C. al Fine	o'r dechrau eto, hyd y diwedd (*Fine*)
＜	cryfhau
＞	tawelu